AVGVSTVS
DIVI
TI CAESAR
MAXIMVS
PONTIFEX

LA MALDICIÓN DE LOS TREINTA DENARIOS

TOMO 2

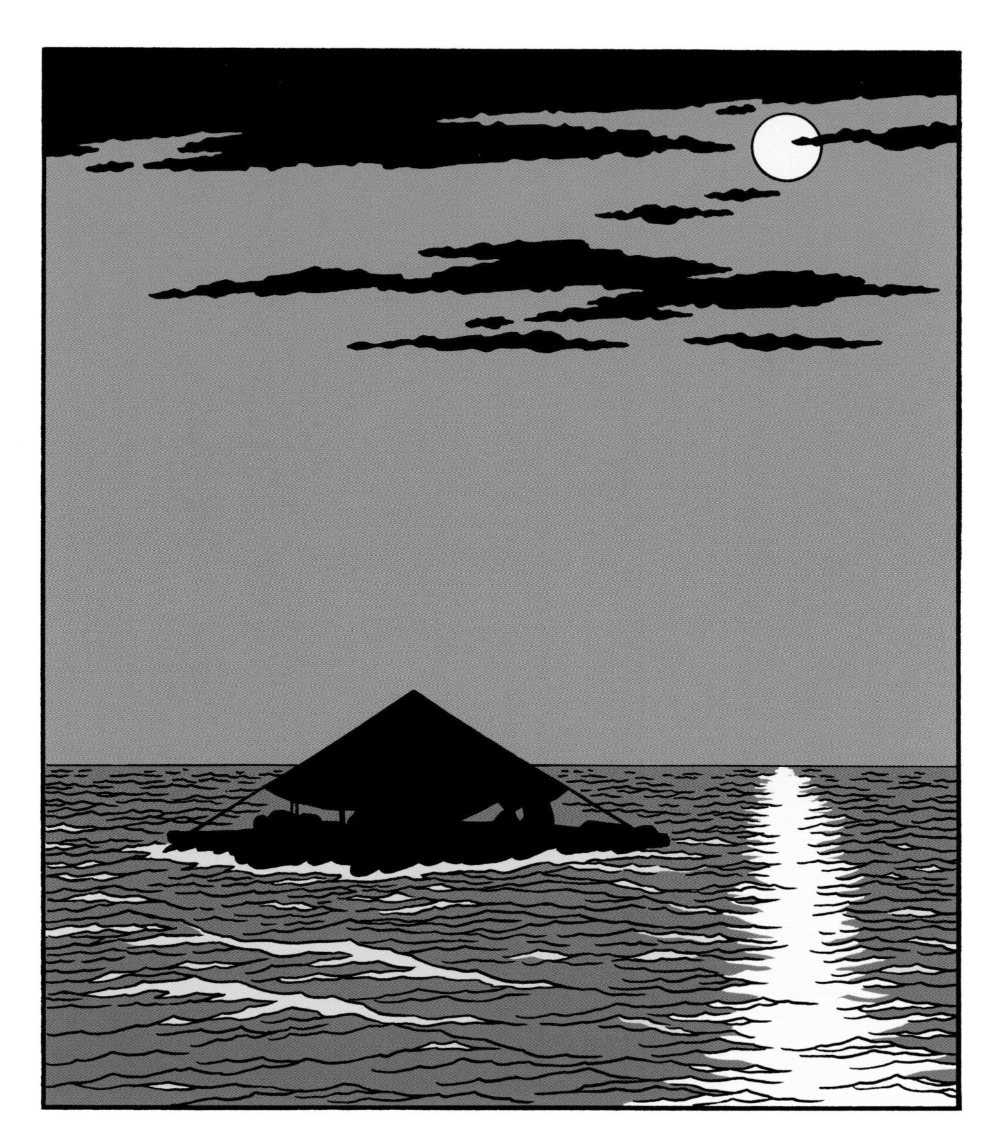

Guión: JEAN VAN HAMME Dibujo: ANTOINE AUBIN, ÉTIENNE SCHRÉDER
Color: LAURENCE CROIX

LAS AVENTURAS DE BLAKE Y MORTIMER
según los personajes de EDGAR P. JACOBS

NORMA
Editorial

Gracias a los que me han acogido en Auzouville-sur-Saâne, en Buisson, en Quincampoix y en Saint-Nicolas-de-Véroce, donde se dibujaron algunas páginas de este libro, así como a Pierre y a Paul por el Catalina, y a Benoît y Francis por sus documentos y sus valiosos consejos.

Antoine Aubin

Colección Las aventuras de Blake y Mortimer n°20.
LA MALDICIÓN DE LOS TREINTA DENARIOS. TOMO 2
Título original: "La malediction des trente deniers. Tome 2" de Van Hamme, Aubin y Croix. Primera edición: junio 2011.

Passeig de Sant Joan 7 – 08010 Barcelona.
Tel. : 93 303 68 20 – Fax : 93 303 68 31. E-mail : norma@normaeditorial.com.
Traducción: Diego de los Santos. Rotulación: Double Cherry. ISBN: 978-84-679-0509-0.
Printed in Singapore.

www.NormaEditorial.com
www.NormaEditorial.com/blog
www.dargaud.com

Consulta los puntos de venta de nuestras publicaciones en www.normaeditorial.com/librerias
Servicio de venta por correo: Tel. 93 244 81 25 – correo@normaeditorial.com, www.normaeditorial.com/correo

Tras un temblor de tierra de magnitud relativamente suave, un joven pastor descubre los vestigios de una capilla cristiana del siglo V en la provincia de Mani, en el extremo sur del Peloponeso.

Aparte de admirables frescos, allí se hallaba el manuscrito de un tal Nicodemo, escrito en arameo en rollos de piel, que relataba la huida de una pequeña congregación de cristianos tras el incendio de Roma en el año 64 de nuestra era, y su instalación en una isla del archipiélago griego.

También se hallaba allí, en un relicario de plomo, una moneda de plata con la efigie del emperador Tiberio, la cual, según los escritos de Nicodemo, sería uno de los treinta denarios pagados por los sacerdotes del Templo de Salomón a Judas Iscariote por haber entregado a Cristo a los romanos.

Siempre según el manuscrito, tras su suicidio frustrado y un largo vagabundeo, el apóstol renegado había terminado sus días en la comunidad de Nicodemo, antes de ser enterrado en un lugar desconocido con los 29 denarios restantes.

Para ayudarles a dilucidar el misterio, el profesor Markopoulos, conservador jefe del museo arqueológico de Atenas, y su ayudante, su sobrina Eleni, recurren al profesor Philip Mortimer, cuya reputación de arqueólogo aficionado ha traspasado fronteras.

Mientras tanto, en Estados Unidos, un misterioso comando en helicóptero libera al "coronel" Olrik de la prisión donde estaba encerrado desde el caso de las bombas atómicas de Los Álamos (1). El capitán Francis Blake, jefe del MI5, acude en ayuda de su viejo amigo John Calloway, jefe de Operaciones Especiales del FBI en Washington.

Pero Olrik ya está lejos, en mitad del Atlántico, a bordo del "Arax", el yate de Belos Beloukian, un riquísimo empresario armenio que ha organizado su fuga para usar sus servicios. En realidad, se trata del conde Rainer von Stahl, un antiguo oficial de las SS "desaparecido" en la debacle nazi de 1945, tras haberse apoderado del tesoro de los nazis que Adolf Hitler le había encargado esconder en Austria.

El objetivo de von Stahl es ser el primero en encontrar la tumba de Judas y apoderarse de los 30 denarios, a los que atribuye un poder maléfico, que según él le permitirá ser el dueño del mundo. Escéptico, Olrik acepta ponerse a su servicio, tanto por el afán de lucro como seducido por la perspectiva de enfrentarse de nuevo a su viejo adversario Mortimer.

(1) Ver La extraña cita.

En Atenas, tras escapar de un asesino al servicio de von Stahl, Mortimer viaja a Mani en compañía de Eleni y de su prometido americano, Jim Radcliff, periodista del "Philadelphia Chronicle", el periódico que financia sus investigaciones a cambio de la exclusividad del relato de sus descubrimientos.

Su primer objetivo es recuperar la parte que falta del manuscrito de Nicodemo, aquella donde pone el nombre de la isla en la que se refugió su pequeña comunidad. Mortimer sospecha que el pastorcillo pudo haberla conservado con la esperanza de revendérsela a algún aficionado.

Sus sospechas están fundadas. Pero Olrik, disfrazado de pope, se apodera primero del valioso rollo de piel, que Mortimer recupera finalmente tras una persecución desenfrenada. El profesor se apresura a telegrafiar a Blake para informarle de la presencia de Olrik en Grecia.

Los tres aceptan y, sin saberlo, se meten en la boca del lobo. Mientras Eleni y Jim son drogados y puestos fuera de combate, Mortimer es hecho prisionero en compañía del profesor Markopoulos, secuestrado en Atenas por los esbirros del ex standartenführer de las SS.

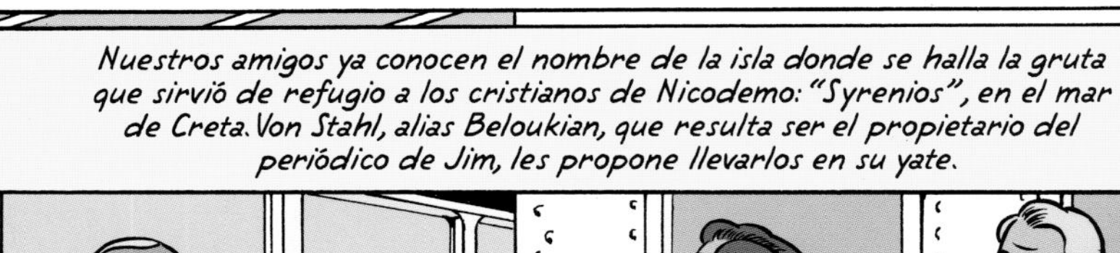
Nuestros amigos ya conocen el nombre de la isla donde se halla la gruta que sirvió de refugio a los cristianos de Nicodemo: "Syrenios", en el mar de Creta. Von Stahl, alias Beloukian, que resulta ser el propietario del periódico de Jim, les propone llevarlos en su yate.

Tras lograr desatarse y salir del camarote, el profesor intenta abandonar el "Arax" a bordo de un bote de salvamento inflable.

Pero el maquiavélico Olrik, anticipándose a la tentativa de su eterno enemigo, ha sacado los remos y los víveres de emergencia del endeble bote.

Lejos de las rutas de navegación, no aguantará mucho, Mortimer. Recuerdos a Neptuno. ¡Ja, ja, ja!
2

Tras la noche, pasa un día interminable sin que ningún barco, ni la más pequeña embarcación, asome por el horizonte.

Llega una segunda noche...

...y un segundo día bajo un sol abrasador. Con los labios agrietados, presa de una sed insoportable, Mortimer cae en la desesperación.
Ese maldito Olrik tenía razón: no aguantaré un día más.

VRRRRR
?

¡Un hidroavión! ¿Cómo puedo hacer para que me vea en esta inmensidad?

¡Humo! ¡Tengo que hacer humo! Mi camisa, mi chaqueta... ¡con eso bastará!

Pero el mechero del profesor, mojado por el agua de mar, se niega a funcionar.
TCHK
TCHK

¡Enciéndete, por todos los santos! ¡Enciéndete!
TCHK
TCHK

¡Por fin!
3

¡EH! ¡EH! ¡¡AQUÍ!!

¡Maldición! ¡No me han visto!

¿Pero qué...?
BANG

Bajo el efecto del calor, el caucho del "dinghy" explota, y nuestro amigo cae al agua.
!

Esta vez, amigo Philip, te ha llegado la hora. Solo me queda...
VRRRRR

¡NO! ¡HAN VUELTO! ¡ALABADO SEA DIOS, ME HAN VISTO!

P 168
¡VIVA!

Hello, Philip! Qué manera tan original de hacer turismo, old chap.
¡¿BLAKE?!
4

No beba tan rápido, amigo, va a ahogarse. Supongo que se acordará de John Calloway y de su ayudante, Jessie Wingo.

¿Cómo podría no reconocer a la encantadora náyade que me salvó la vida? (1)
Me alegro de verlo sano y salvo, profesor.

¿Por qué milagro...?
Ningún milagro, Philip. Solo la suerte de haberlo visto. Seguimos el rastro de un tal Belos Beloukian. Nuestros agentes han visto su yate en aguas griegas.

Tenemos razones de peso para creer que fue Beloukian quien sacó a Olrik de la prisión de Jacksonville.
Algo que parece confirmar su telegrama informándome de la presencia de Olrik en el Peloponeso.
Así es, Olrik se encuentra a bordo del "Arax".

Y mientras el hidroavión sigue su rumbo, Mortimer narra sus tribulaciones a sus compañeros, que lo escuchan atentamente.

¡Fantástico! Le diré al piloto que ponga rumbo a la isla de Syrenios.
Si encontramos a Olrik en el yate de Beloukian, este deberá responder ante la justicia americana.
No se fíe. Además de Olrik y sus tres prisioneros, Beloukian tiene a bordo a media docena de hombres armados hasta los dientes.

Lo sospechábamos. Ya ve que no venimos solos.
¿Son sus hombres, Calloway?

No. El FBI no tiene permiso para actuar fuera de territorio estadounidense. Son comandos de élite de la sección Doble Cero del MI6.

Como ya sabrá, Philip, el Intelligence Service ha seguido activo en Grecia desde el final de la guerra civil en el 49. Mis colegas del MI6 me han prestado el Catalina y la colaboración de uno de sus equipos de asalto.

(1) Ver La extraña cita.

Syrenios a la vista, capitán.

¡Ahí! ¡Es el "Arax"!

Perfecto. Tome altitud. Si nuestra presa está ahí, no queremos despertar sus sospechas.

Pase de largo.

VRRRRRRR

¿Cómo piensa hacerlo?
Amerizaremos a unos kilómetros de aquí, donde no nos vean. Allí esperaremos a que caiga la noche.

Llevado con mano firme por el piloto del MI6, el Catalina se posa suavemente sobre las aguas tranquilas del mar de Creta.

Buen trabajo, amigo. Apague el motor y silencio de radio.
A la orden, capitán.

Y mientras los hombres de la sección Doble Cero se preparan...
¿Por qué no hacemos intervenir a las autoridades griegas?
Demasiado lento y complicado. Además, no tenemos pruebas de la culpabilidad de Beloukian.

Pruebas que debemos encontrar en el "Arax". Se trata de una operación secreta totalmente ilegal, como las que practican todos los servicios de inteligencia del mundo.
6

Tras unas horas de espera...

La noche está muy clara, pero no tenemos elección. ¡Inflad los botes!

Jessie, quédese aquí con el profesor y los pilotos. Cuando todo haya acabado, llamaremos por walkie-talkie para que vengan a recogernos.
¡A la orden! Good luck!

No me gusta ver a Francis metido en una expedición así. Ya no tiene las condiciones físicas de esos jóvenes.
John tampoco, pero supongo que echan de menos la acción.

Afortunadamente, Beloukian ha tenido la buena idea de anclar su yate en el lado opuesto del único pueblo de la isla. Todo será más discreto.

Desde ahora, ni una palabra más. El sonido se propaga bien por el agua. Y evitad chapotear con los zaguales.
Tranquilo, John, están entrenados para eso.

Tras una hora de esfuerzo constante, los dos botes pasan sin hacer ruido por delante del pueblecito de Syrenios, situado al pie de una árida colina.

Y tras bordear la isla, llegan ante su objetivo.
7

No hay ninguna luz, y no veo a nadie sobre el puente.
No tienen motivos para desconfiar. Mejor para nosotros.

A la señal de su jefe, lanzan rezones con los garfios envueltos en una gruesa tela...

Silenciosos como escualos antes de la acción, los hombres del comando se acercan al gran yate.
ARAX

...y suben sin hacer ruido por los flancos del barco.

Se separan en varios equipos y hacen la ronda prudentemente.

Exploran cada sala, cada camarote...

...hasta la timonera y la sala de máquinas...

...sin sospechar que toda la operación la siguen desde la orilla unos ojos atentos.
Mi informador de Atenas no se equivocaba: son Blake y los hombres del MI6.

Pero esos malditos ingleses van a enterarse de qué precio se paga por enfrentarse a mí.

¡Adelante, Herr Kapitän!
8

Jessie... Jessie... Cambio.
Le recibo, John. Hable.
¡Por fin!

Lo hemos registrado todo y no hay nadie a bordo. No lo entiendo.

Dígale al piloto que venga a recogernos.
OK.
Debe de ser una trampa. Dígale que abandonen el barco inmediatamente.

Quizá tenga razón, vamos a evacuarlo.
O han desembarcado con los rehenes...

...o han embarcado en otro...

?!

Good heavens!

¡UN TORPEDO! ¡TODOS AL AGUA, DEPRISA!
?
?
?!

BAOMM
??
??

9

¡Excelente!

Una táctica que sale cara, coronel, pero nos hemos librado de esos pesados.
¡Asesino!

¡Es un monstruo!
No, querida. Un guerrero. Y le recuerdo que no soy yo quien ha atacado primero.

Pero tranquilos, sus amigos no tardarán en recoger a los supervivientes... si los hay.

¿Qué les decía? Ahí están.

De pronto, aprovechando que la llegada del hidroavión distrae la atención de sus guardianes, Jim intenta una maniobra desesperada.
!
¡ELENI! ¡CORRE!
?

¡ALTO! ¡ALTO!
¡Apuntad al hombre!

TTRATTRATRRR
¡AAAHH!
10

¡JIM! ¡Dios mío...!
No te preocupes por mí, darling. ¡Corre! ¡Intenta refugiarte en el pueblo!

Temblando de pena y de miedo, la joven griega prosigue su carrera a ciegas en la noche...

...perseguida por los esbirros de von Stahl.

Jim, en un estado lamentable, es llevado sin miramientos ante Olrik y su jefe.
Ha sido inútil, Radcliff. Sabe de sobra que su amiguita no tiene ninguna posibilidad de escapar.

Sin aliento, Eleni se esconde tras un arbusto espinoso e intenta calmar los latidos de su corazón...

...rezando para que sus perseguidores pasen de largo sin verla y pierdan el rastro.

Mientras tanto, Jessie y Mortimer llegan al lugar del drama y descubren un espectáculo desolador.
¡Maldición!
11

¡EH! ¡POR AQUÍ!

Deslizándose por el agua a velocidad reducida, el Catalina recoge uno a uno a los miembros del comando, que se agarran a los restos aún humeantes.
PP 168
BONG

John, ¿qué ha pasado?
No sé. He oído a Blake gritar antes de saltar al agua. Y después, la explosión. El profesor tenía razón: hemos caído en la trampa como unos principiantes.

Tras lograr subir al segundo bote, el jefe del comando sube el último al aparato.

Estos dos están muertos. Todos los demás están heridos, tres muy graves. Debemos volver a Atenas inmediatamente.
¿Y Blake?

¿Dónde está Blake?
No lo sé. Nadie lo ha visto tras la explosión.
Se habrá hundido, arrastrado por el remolino del yate al irse a pique.

Iré yo. Deme el foco.
Aún está muy débil, profesor. Iré con usted.

PP 168

?!?

12

¡Infiernos! ¡Ese maldito Mortimer ha vuelto a sobrevivir!
Estoy encantado de oírlo.

¡BLAKE! ¡BLAKE! CONTESTE, AMIGO MÍO, SE LO RUEGO...

Qué escena tan conmovedora, ¿no cree? Pero el espectáculo aún no ha terminado. ¡Segundo objetivo, Herr Kapitän!

No puede ser. Tras haber sobrevivido a tantos peligros, Blake no puede desaparecer así. Me niego a creerlo. Sigamos buscando.

Les doy diez minutos más. Después, despegamos. Los heridos no pueden esperar.

GODDAM!

¡TORPEDO A LAS DOS!
¡JOE, A TODO GAS!

Propulsado por un brusco acelerón, el hidroavión, cuyos motores afortunadamente aún estaban encendidos, da un salto hacia delante...

...y evita por poco el torpedo...

...que, unos segundos después, choca contra el acantilado.
BAOMMMM

?!
!
13

No vamos a esperar al siguiente torpedo. ¡Despega, Joe!
¡Eh! Le prohíbo...

Shut up! No puede prohibirme nada, señor agente especial del FBI. Blake seguramente está muerto, y los otros dos se las apañarán. Yo pienso en las vidas de mis hombres. ¡Rumbo a Atenas!

??
?!?

Pero... ¡¿nos abandonan?!
No, salvan la vida. Representaban un blanco demasiado fácil.

¿Qué será de nosotros? No tenemos ni armas, ni víveres, ni dinero. Nada.
Ya veremos, Jessie. Lo primero que hay que hacer es encontrar a Blake. Siga remando.

¡Cielos! ¡Ahí está!

Con cuidado, quizá tenga algo roto.

Alabado sea Dios, ¡está vivo! Su pulso es casi regular y, aparte de esta equimosis, parece no tener ninguna herida. Coja su pañuelo, mójelo en agua salada e improvise una venda.

Esos malditos Blake y Mortimer parecen tener tanta suerte el uno como el otro. Pero están a nuestra merced. Fácilmente podríamos...
No.

Para el éxito de mi nuevo plan, es indispensable que sigan vivos. Al menos durante un tiempo. Después serán suyos, coronel.
14

Lo más seguro sería llegar al pueblo bordeando la isla y...
Chist. Oigo un ruido de motor.

VRRRRRR

¡Son ellos! Agáchese y recemos para que no nos vean.

VRRRRRRRR

Son nueve o diez, pero están demasiado lejos para identificarlos. Seguro que son von Stahl, Olrik, sus esbirros y sus prisioneros.
¿Hay una mujer con ellos?

Creo que no, es difícil saberlo...
¿Qué habrán hecho con Eleni? Ojalá no la hayan...

¡ALLÍ! ¡MIRE!

Saliendo de las aguas oscuras como un monstruo de otros tiempos, la silueta estilizada de un submarino emerge a varios cables de nuestros amigos, estupefactos.
My goodness! ¡Un U-Boot!
15

Están embarcando. Uno parece herido.
Tiene buena vista, Jessie. Yo no veo nada.

Olvida que soy mitad india, profesor. Pero ¿cómo ha podido navegar hasta aquí ese U-Boot sin que nadie lo haya visto?
Los nazis tenían varias bases de submarinos en las islas griegas. No todas fueron descubiertas.

¡Francis! ¿Cómo se encuentra, amigo?
Un poco aturdido. He debido de golpearme contra algo al subir a la superficie después de haberme hundido.

¿Y el hidroavión?
Se fue.
Y Mortimer le relata a Blake brevemente los últimos acontecimientos.

¡Miren! ¡El submarino se sumerge!
Parece que han abandonado la barca sin hundirla.
Podríamos recuperarla. Con eso que la perspectiva de tener que remar durante horas para llegar al pueblo no me apasiona.
¿Y si fuera otra trampa? Han podido minar la barca.
No lo creo.

O bien sabían que estábamos aquí y habrían podido capturarnos o eliminarnos fácilmente, o bien lo ignoraban y no tendrían motivo alguno para tendernos otra trampa.
Yo tengo otra teoría, old chap...

Desde la orilla, von Stahl y Olrik han debido de vernos a Jessie y a mí buscarlo con ayuda del foco. Sabían que estábamos aquí. Sin embargo, no han hecho nada para eliminarnos, como bien dice.
¿Y por qué, según usted?

Porque el objetivo de von Stahl es encontrar la tumba de Judas y los denarios que se supone que están allí. Ahora que tiene rehenes, va a dejarnos hacer el trabajo por él. Si lo logramos, nos exigirá el fruto de nuestra búsqueda a cambio de los prisioneros. Nos da vía libre y tiene incluso la bondad de poner una lancha a motor a nuestra disposición para facilitarnos la tarea.
16

Unos minutos después, tras haber recuperado la barca abandonada por von Stahl y haber amarrado a ella el bote inflable, nuestros amigos llegan a la costa...

...y la bordean en dirección al pueblo.
Tiene razón, Philip...

Esos bandidos parecen haber decidido darnos vía libre.
No me gusta la idea de ser un peón en su juego, pero dada la situación, no tenemos elección. Al menos, nos dejarán en paz durante un tiempo.

Unos cuarenta minutos después...

El faro. Ya casi estamos.
Esperemos a que sea de día para ir al pueblo. Es inútil preocupar a sus habitantes desembarcando de noche.

Tras avistar una pequeña cala, Jessie pone rumbo a ella antes de apagar el motor.

Aprovechando esta parada forzosa, comparte con Mortimer las conclusiones a las que ha llegado el FBI sobre el origen de la fortuna del conde Rainer von Stahl y la "desaparición" del ex standartenführer adoptando la identidad de un prisionero de guerra armenio.

Muchos oficiales de las SS actuaron así tras la debacle del 45. A la mayoría los descubrieron, pero no a todos.
Pero el dinero y una identidad falsa no bastan. Para montar su red criminal, el pseudo-Beloukian debió de necesitar aliados bien situados.

Sin duda, se sirve de Odessa.
¿Odessa?
Organisation der ehemaligen SS Angehörigen. Organización de Antiguos Miembros de las SS
Creada en 1944 para preparar y organizar la huida o la "desaparición" de los principales dignatarios del régimen. Una organización que sigue existiendo, con enormes medios financieros y una abundante reserva de reclutamiento en los numerosos grupos de extrema derecha que subsisten o se crean por todo el mundo.
Pero eso no es todo...

Un buen número de industriales y dirigentes de Gran Bretaña, Estados Unidos y otros países son unos nostálgicos de lo que los nazis llamaban el Nuevo Orden, que defiende que la dictadura es un tipo de gobierno más cómodo que la democracia.
17

El servicio secreto alemán conocía los nombres de esos simpatizantes. Por desgracia, aún no hemos podido hacernos con esas listas.
La CIA también lo intenta, pero sin resultado hasta ahora. ¿Por qué cree que von Stahl tiene tanto interés en encontrar los treinta denarios de Judas?

Como todos los fanáticos, von Stahl seguramente sea un místico. Debe de pensar que las treinta monedas de plata más malditas de la Historia le darán los medios para imponer su poder sobre las masas crédulas. En otras palabras: repetir lo que hizo Adolf Hitler con la esvástica.

¿Sería posible?
No creo. Pero como decía la pobre Eleni, a pesar de nuestro racionalismo científico debemos ser humildes ante los misterios de lo divino.
Ya es de día. Podemos irnos.

Menos de media hora después, nuestros amigos entran en el pequeño puerto de Syrenios...

...seguidos por las miradas extrañadas o recelosas de los pescadores que se disponen a zarpar.

Lo primero que tenemos que hacer es encontrar alojamiento. Usted habla griego, Philip. Le toca.
Conozco el griego antiguo, Francis, que solo es un pariente lejano del griego moderno. Bueno, puedo probar...

18

Si lo he entendido bien, la propietaria del único bar del pueblo alquila habitaciones a los viajeros de paso.
Perfecto, pero ¿cómo vamos a pagar?
Tranquila, Jessie. Me quedan varios dracmas mojados en el fondo del bolsillo.

Es aquí. También sirve de oficina de correos y posee el único teléfono de la isla.
Me parece de lo más encantador.
ΚΑΦΕΝΕΙΟΝ
ΑΝΤΩΝΙΟΣ
ΔΑΣΚΑΛΙΔΗΣ

Mortimer entabla una laboriosa conversación con la robusta propietaria del modesto establecimiento.

La sra. Daskalides tiene dos habitaciones. También puede lavarnos la ropa y prestarnos algo de ropa de su difunto marido mientras se seca la nuestra.
¡Aleluya! ¿No podría conseguirme una pipa, por casualidad? La mía se quedó en el Catalina.

Se lo preguntaré. También va a darle un vestido, Jessie. Las mujeres con pantalón no son bien vistas por aquí.
Pfff. ¡En Atenas, los evzones (1) llevan falda y pompones!
Me parece perfecto. Empezaremos por un buen desayuno. Imagino que los dos tendrán tanta hambre como yo.

Menos de una hora después, tras lavarse y cambiarse, nuestros amigos se disponen a saborear el copioso desayuno que les espera en la terraza.
Está fantástico, Philip. Parece un viejo lobo de mar.
Usted tampoco está mal, amigo. Sobre todo con esa magnífica pipa de olivo.

Y nuestra encantadora Jessie pronto será la preferida de toda la población masculina de la isla.
Dejen de burlarse de mí, señores. Y díganme cuándo vamos a explorar esa dichosa gruta.
Oh, eso puede esperar a mañana. Todos necesitamos descansar un poco.

¡Dios mío, miren!
19

(1) Guardias de la infantería ligera griega que llevan traje tradicional.

Un curioso trío se acerca a la terraza del café.
ΑΝΤΩΝΙΟΣ ΛΑΣΚΑΛΙΔΗΣ
My goodness! Parece...

¡Eleni, menos mal!
¡¿Profesor...?!

Oh, profesor, está vivo. Esos monstruos de Olrik y Beloukian nos dijeron que había desaparecido en el mar.
Mis amigos, aquí presentes, me rescataron. ¿Qué le ha pasado, Eleni?

Y mientras la sra. Daskalides sirve un tentempié a los dos pastores, la joven cuenta que Beloukian hizo desembarcar a sus prisioneros en la isla, desde donde asistieron a la explosión del "Arax" después de que lo asaltase el comando.

¡Fue horrible! Entonces, gracias a Jim, pude escapar. Pero al pobre lo hirieron en una pierna y lo capturaron.
ΠΑΠΑΓΑΛΟΣ

Yo logré esconderme hasta que esos bandidos abandonaron la isla. Luego intenté llegar al pueblo. Pero, al ser de noche, me perdí hasta que di con estos buenos pastores, que me han traído hasta aquí.

Mi pobre Jim y mi desgraciado tío. ¿Qué les pasará?
Si la teoría de Mortimer es cierta, no corren peligro. Von Stahl, alias Beloukian, querrá intercambiarlos por los treinta denarios de Judas.
Si los encontramos.

Debemos encontrarlos, Philip. No se trata solo de un descubrimiento arqueológico, sino de un asunto de vida o muerte. Además, ese intercambio será la mejor ocasión para atrapar a esos bandidos.

Y, como nuestra amable hospedera dispone de un teléfono, voy a pedirle que me ponga en contacto con Atenas para establecer un plan de actuación con la delegación local del MI6.
20

Esa noche, mientras nuestros amigos se conceden una noche de descanso bien merecido...
Un poco de paciencia, queridos camaradas. Muy pronto lograremos nuestro objetivo.

Ojalá, aunque la utilidad de ese objetivo que persigue nos parezca sospechosa.
Mientras tanto, nos parece lamentable que el FBI y el Intelligence Service le hayan identif cado, von Stahl. Usted es el único que conoce nuestras identidades. Si lo detienen, estamos perdidos.

Es una de las razones por las que sacrifiqué mi yate: era muy fácil seguirle el rastro. Ahora me he vuelto invisible. Y cuando pueda salir a la luz de nuevo, para nuestros adversarios será demasiado tarde. ¡Venceremos, amigos! Y los que no quieran aceptar nuestra victoria, perecerán como perros.

Sieg Heil!

Al día siguiente, Blake, Mortimer, Jessie y Eleni suben en su barca a motor, guiados por el joven Leónidas, hijo de su hospedera.
Según la sra. Daskalides, en la isla solo hay una gruta, justo debajo del faro. Solo puede ser esa.
21

Hemos llegado.
¿Tiene una entrada doble, como decía Nicodemo?
Tenía dos, en efecto, pero la entrada por tierra la taparon hace unos cincuenta años, cuando construyeron el faro.

Según la gente de aquí, esta gruta no tiene nada de excepcional. No han encontrado ningún objeto.
Si los había, debieron de desaparecer hace tiempo.

La batería de este foco no aguantará mucho.
Menos mal que la sra. Daskalides nos ha prestado unos faroles.

Qué emoción, pensar que hace 19 siglos aquí se refugió una pequeña comunidad cristiana.
Si es el caso, deberíamos encontrar huellas, aunque ínfimas. Separémonos para buscar.

Tras confiarle a Leónidas la vigilancia de la barca, nuestros amigos se dispersan por los meandros de la gruta...

...e iluminan sus paredes con las lámparas en busca de posibles inscripciones.

HELLO! ¡POR AQUÍ!
22

Miren: escalones toscamente excavados en la roca.
Sin duda, llevaban hasta la entrada por tierra.
Es más que probable. El faro está justo encima.

Podría ser la gruta de Nicodemo.
Necesitamos más pruebas. Sería sorprendente que un grupo de gente hubiese vivido aquí durante treinta años sin dejar rastro de su estancia.
¡ALLÍ!

¡Ese bloque! Podría ser una especie de altar primitivo.

Es un altar. Miren los símbolos...

No queda gran cosa, pero aquí podría decir Yehoshua, el nombre de Jesús en arameo.
Esa sería la prueba. Esta es la gruta.

Sí, pero buscamos la prueba que indique el lugar donde Yadin, el hombre al que Nicodemo encargó enterrar a Judas, sepultó al apóstol traidor. Sigamos buscando.

Capitán, ¿podría venir con el foco, por favor?

¡¿Qué es eso?!
23

Parece una especie de fresco decorativo.
Sin duda, pero no veo en él ninguno de los símbolos cristianos de la época. Este dibujo quizá sea posterior al paso de Nicodemo y sus fieles.

En última instancia, volveremos con papel de dibujo e intentaremos reproducirlo. Es curioso, tengo la impresión de haber visto esos motivos en alguna parte...

Necesitaríamos fotografiarlo para estudiarlo cómodamente.
Dudo que en el pueblo podamos encontrar una cámara de fotos.

Ya me acordaré. Mientras, intentemos hallar otros restos.

Pero, tras varias horas, nuestros amigos constatan el fracaso de su búsqueda. A excepción de los escalones, del altar y del curioso fresco, la gruta no esconde más pruebas de una antigua presencia humana.

Decepcionados, a la hora de comer vuelven al pueblo.

Temo que las pistas terminen aquí.
Entonces, ¿qué va a ser de mi tío y de mi prometido?
¿Podríamos hacer creer a von Stahl que hemos encontrado la tumba de Judas y capturarlo con ayuda del MI6?
Me parece un farol un poco grande. No...

¡AHÍ!
?
24

¡El fresco! ¡Es el mismo! Sabía que lo había visto en alguna parte.
Eleni, pregúntele a la propietaria por qué pintaron eso ahí.

Ante la mirada atenta de nuestros amigos, la sra. Daskalides responde sonriendo a las preguntas de Eleni...

...que vuelve para contárselo.
La explicación es sencilla. Aquí todos conocen la gruta y la existencia de esos símbolos grabados en la roca. El difunto sr. Daskalides, que tenía talento como dibujante, los reprodujo en la pared para divertir a sus clientes.

¿Y no conocerá su significado, por casualidad?
No. Para ella no es más que un bonito dibujo. Como sospechaba usted, los habitantes de Syrenios nada saben del paso de los cristianos de Nicodemo por su isla.

No hemos avanzado nada. Volveré a la gruta esta tarde para seguir buscando.
Le acompañaré, old chap. Por desgracia, la batería del foco se ha agotado.

Mientras, yo intentaré conseguir un vestido algo más alegre que el que me ha dado nuestra amable hospedera. ¿Podría acompañarme, Eleni? Necesitaré una intérprete.
Con gusto. Yo también aprovecharé para buscar algo más favorecedor.

Pero la nueva búsqueda de Blake y Mortimer resulta tan inútil como la anterior.

Los dos ingleses deciden volver al hostal.
25

Por la noche, a pesar de una excelente cena de cordero asado regado con vino de Creta, Mortimer no logra conciliar el sueño...

...dándoles vueltas y más vueltas a los datos del problema que se les plantea.

De repente...
¡By Jove, pues claro!

Se levanta de un salto de la cama y se lanza escaleras abajo, hacia la sala desierta del café.

Allí, tras encender la luz y encontrar un trozo de tiza, toma una silla...

...y, después de ponerla sobre la mesa, se pone a la altura del fresco pintado, del que cubre con tiza algunas partes.

¡Ya está! A ver en qué resulta...

¡Sí, es eso! ¡Viva!

!

BROUM
BAM
BiNG
26

Alarmados por el ruido, todos los ocupantes de la casa acuden corriendo.
?
¿A qué juega, Philip, viejo amigo?
¡Lo he encontrado, Francis!

¿Qué ha encontrado? ¿El lugar donde la sra. Daskalides esconde las botellas de ouzo?
El fresco, Francis... ¡Ay! ¡El fresco!

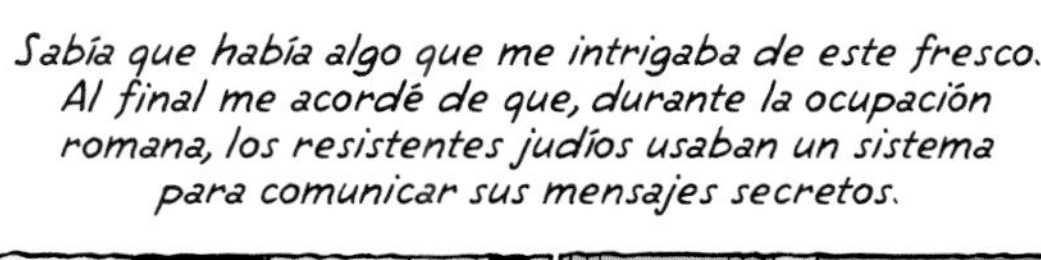
Sabía que había algo que me intrigaba de este fresco. Al final me acordé de que, durante la ocupación romana, los resistentes judíos usaban un sistema para comunicar sus mensajes secretos.

Escribían en caracteres arameos o hebreos y alargaban las letras con dibujos de hojas y de flores, para que resultasen ilegibles a los no iniciados.

¡He tapado con tiza las hojas y las flores del fresco, y mire el resultado!
¡Increíble!
Pero no es arameo...

No, Eleni, es hebreo antiguo. Recuerde que Yadin era originario de Judea, así que prefería hablar el hebreo antes que el arameo de los galileos. Cuando regresó, con la boca y la lengua tan corroídas por su terrible lepra, incapaz de hablar, grabó en la roca el lugar donde había sepultado a Judas. Y tras su muerte, para que los miembros de su grupo no pudiesen descifrar esas palabras, Nicodemo las adornó con hojas y flores a la manera de los zelotes.
Por desgracia, no sé leer el hebreo arcaico.

Yo sí. El texto dice: "La puerta de Orfeo bajo la cabellera de Eurídice".
27

Demasiado nerviosos para acostarse acto seguido, nuestros amigos se instalan en la sala, donde la sra. Daskalides les prepara café antes de volver a la cama.
La puerta de Orfeo. Solo puede ser la puerta del inframundo.

Así es. El inframundo adonde acudió Orfeo para intentar salvar a Eurídice. ¿Dónde sitúa la tradición esa puerta, Eleni?
En la caverna de Aquerusia, en El Epiro. Una región montañosa al noroeste de Grecia, junto a la frontera albanesa.

¡En la otra punta del país!
Efectivamente. Nicodemo le dijo a Yadin que enterrase a Judas lo más lejos posible de Syrenios, y el muchacho tardó tres meses en ir y volver en barca. Todo encaja.

¡La puerta del inframundo! Un lugar muy apropiado para enterrar al traidor de Judas.
Por cristiano que fuese, Nicodemo no desconocía la mitología griega. Quizá fue él quien señaló ese lugar a su adepto.
Obviamente, no es una certeza. Pero no tenemos nada mejor.
Pues El Epiro será nuestro próximo destino. ¿Qué aspecto tiene la caverna de Aquerusia?

Es un laberinto de grutas y de simas, atravesado por uno o varios ríos subterráneos, situado al borde del mar Jónico y en gran medida inexplorado.
Parece prometedor. ¿Y la cabellera de Eurídice?

Eso tendremos que descubrirlo in situ. Lo primero es abandonar esta isla. En cuanto amanezca, buscaremos un pescador que acepte llevarnos a Creta, desde donde podremos tomar un barco hacia Atenas. Nuestra barca es demasiado pequeña para salir a alta mar.

Y ahora, haríamos bien en intentar dormir un poco. Los días que nos esperan reclamarán todas nuestras energías.
28

A la mañana siguiente, nuestros amigos buscan el modo de salir de la isla...

...sin sospechar que un hombre de cara patibularia observa divertido sus esfuerzos.

Mi conocimiento del griego clásico no es el ideal para hablar con esta gente, pero me basta para entender que ninguno quiere llevarnos a Creta.
Diablos, qué fastidio. No podemos quedarnos atascados aquí.

Hay un carguero que viene de Creta dos veces al mes para aprovisionar la isla, pero el próximo no pasa hasta dentro de diez días. Podría pedirle al MI6 que nos envíe su hidroavión.
Ya he intentado dos veces contactar con nuestra delegación en Atenas. En vano, no me dan línea.

Además, le recuerdo que su intervención en aguas griegas es ilegal. Debemos arreglárnoslas solos, old chap.
Podríamos haberle pedido a Eleni que nos acompañase. Al ser griega, quizá hubiese podido convencer a esos pescadores, que no deben de fiarse de nosotros, unos extranjeros.

La pobre aún está agotada por lo que ha sufrido. Esta noche ha dormido mal, y ha preferido quedarse a descansar en nuestro cuarto.

Comprendo el problema, Francis, pero ¡for heaven's sake, tenemos que hallar el modo de salir de esta isla!

Ya encontraremos a alguien que...
Chist...
Si logramos salir de Syrenios, deberíamos llegar de aquí a cuatro o cinco días. Sí, lo sé...

Hello, Eleni! Me alegra ver que ya se encuentra mejor.
29

Mucho mejor, gracias. He... he llamado a un amigo, espeleólogo aficionado, que podría habernos ayudado. Por desgracia, no está disponible.
Buena iniciativa. Ha tenido más suerte que yo con el teléfono. ¿Hablaba en inglés con ese amigo?

Claro. No quiero que todo el mundo se entere de cuáles son nuestros planes. Esta gente ya se hace suficientes preguntas sobre nosotros.

Un especialista del espionaje como usted debería saberlo, capitán Blake.
Tiene razón, disculpe mi extrañeza.
Vamos, pediremos la comida y haremos balance de nuestra triste situación.

Una hora después, tras una comida sencilla pero copiosa con un vaso de tsipouro, nuestros amigos terminan de contar el fracaso de sus gestiones a la joven arqueóloga.

Debería ir usted a hablar con esos pescadores. Seguramente será más convincente que nosotros.
Puedo intentarlo.
¿Son ustedes los americanos que buscan un barco?
?

Aparte de esta joven, no somos americanos, amigo mío, sino ingleses. Y es verdad que buscamos el modo de llegar a Creta.
Puedo llevarlos, si quieren. Por diez mil dracmas, pagados por adelantado.

¡¿Diez mil dracmas?! Es demasiado.
Además, no los tenemos. Pero poseemos una barca a motor que vale de sobra esa suma. ¿Qué me dice?

Conozco su barca. De acuerdo. Zarparemos esta tarde a las 16.00.
Ya está resuelto nuestro problema.
Y encima, a costa de von Stahl.
Προσέξτε αυτόν τον άντρα! Είναι κατά το ήμισυ τούρκος και είναι μαφία χωρίς ενδοιασμούς

¿Qué dice nuestra amable hospedera?
Que no nos fiemos de ese hombre. Es medio turco, y un contrabandista sin escrúpulos.
30

Varias horas más tarde, tras haber recuperado sus ropas y haberse despedido de su hospedera, nuestros cuatro amigos acuden al puerto.
Quizá la sra. Daskalides tenga razón. Tiene una pinta sospechosa.
A los griegos no les caen bien los turcos, ni siquiera cuando no son turcos al 100%, usted lo sabe mejor que yo. A mí me da igual que sea contrabandista o traficante de tabaco mientras nos lleve a nuestro destino. Además, habla inglés.

Ahí está.

He hecho amarrar su barca a la popa de mi barco. En Creta podré revenderla a buen precio.
All right! ¿Dónde está su barco?
Ahí delante.

¡¿Eso?! ¡Si es una chatarra!
No se preocupen. Alcanza los doce nudos. Mañana por la mañana estarán en su destino. ¡Suban a bordo!
ABHNA

Eleni tiene razón: ese tipo no me gusta nada.
No se fíe de las apariencias, Jessie. En estas islas son todos un poco rudos.

Debería haber conservado la falda y la blusa. Le sentaban muy bien.
Olvida que soy una mujer de acción, profesor. Pero no se preocupe, me las volveré a poner cuando me invite a cenar en el mejor restaurante de Creta.

Poco después, tras soltar amarras, la vieja barcaza maniobra para salir a alta mar entre una densa nube de humo negro.
ABHNA
31

Esta cáscara de nuez no vale nada contra el yate de nuestro amigo von Stahl, pero al menos no nos arriesgamos a nada.
Solo a naufragar. Este barcucho parece a punto de pararse.

Oiga, amigo, espero que tenga salvavidas a bordo.
¿Para qué? Ya se lo he dicho: es un buen barco.

Tan simpático como una pared, el medio turco.
?

¿Se ha fijado? Vamos hacia el norte, cuando Creta está al suroeste. Habría que...
Escuche. El motor se ha parado. ¿Qué significa esto?

Philip, suba a interrogar al piloto. Yo voy a la sala de máquinas a pedirle explicaciones al capitán. Esto no es normal.

Inquieto, Mortimer obedece a Blake y sube con presteza la corta escalera que lleva a la timonera.

Oiga, amigo, ¿por qué llevamos rumbo norte?

Porque nunca llegarán a Creta, profesor Mortimer. Ni a ninguna otra parte.
The devil! ¡Olrik!
32

Sea cual sea su papel en este asunto, no se librará tan fácilmente, "coronel". Los servicios secretos británicos y americanos le pisan los talones.
Para lo que les va a servir. Pero basta de parloteo estéril, profesor. Vamos con sus amigos.

Y no me provoque intentando una de sus típicas maniobras de distracción. Me muero de ganas de meterle una bala en la cabeza.
¿Y por qué no lo hace?

Porque mi jefe prefiere que usted y Blake tengan un accidente. Pero confíe en mí: esta vez no podrán contar con su suerte habitual.

Al llegar al puente de proa, Mortimer descubre lo que temía encontrar: Blake, Eleni y Jessie retenidos por el cómplice de Olrik.
Suelta la barca, Koltar. Yo me ocupo de ellos.
A la orden.

Tú, guapa, te vienes con nosotros. Tu querido tío y el zopenco de tu prometido necesitan tu cariño.
¡¿Cómo...?!

Y esa zorra india va a pagarme ahora mismo la temporada que pasé en la prisión de Jacksonville.
¡NO!

¡No lo haga, miserable! Máteme a mí primero.
Es una propuesta que merece tenerse en cuenta, capitán. Al diablo con las órdenes. Adiós, pues...

?!

¡Eleni...!
PLATCH
33

¡Bien hecho, Eleni!
¡Cuidado!

TTRATTTRRTTRRR
!

TTRATT TRRAAT

PAN

PAN PAN
¡AAAHH!

...se aleja hacia el horizonte, fuera de su alcance.
VRRRRR

Privado de su piloto, el motor se embala y la barca, que a punto está de arrollar a Olrik, recién subido a la superficie...

Vaya, "coronel", parece que se han vuelto las tornas...
¡Váyase al diablo, Mortimer!

¡Dispare, profesor! ¡Mátelo!
No, Jessie. A pesar del odio que siento por ese canalla, soy incapaz de disparar a un hombre desarmado.

¡Pues deme la pistola! Yo no dudaré en...

BAOMMM
!
!!
!
!?
34

Viene de abajo. Quédense aquí, voy a ver qué ha pasado.

Pero el espectáculo que descubre Blake en la sala de máquinas le arranca una exclamación de angustia.
Good heavens!

Esos canallas habían puesto una carga de dinamita. El barco se hundirá dentro de unos minutos.
Damned!
¡Dios mío, estamos perdidos!

Con la energía de la desesperación, nuestros amigos se afanan frenéticamente en fabricar una balsa improvisada...
CRAC

Busquen cuchillos, bidones vacíos, tablas, cualquier cosa que flote. Y corten las jarcias, las amarras, lo que sea para atarlo todo.

¡EL FUEGO SE EXTIENDE! ¡TODOS AL AGUA, RÁPIDO!

35

Unos segundos después, la vieja barcaza desaparece en un último remolino de chispazos y de llamas...

...ante la mirada afligida de los cuatro supervivientes.

¿Qué será de nosotros, profesor?
Estamos vivos, Eleni. En estos momentos, es lo que importa.

¿Alguien ha tenido tiempo de coger agua y provisiones?
He echado un vistazo en el comedor y no había nada. Ni una gota de agua, ni una galleta.

Ese medio turco traidor sabía que iba a abandonarnos unas horas después de zarpar. No quería hacer gastos inútiles.
¿Puedo unirme a ustedes?

Me temo que no soy un gran nadador.
¡¿Olrik?! Casi lo había olvidado...
¡Ah, no!

No sé qué me impide...
Ya le cortará los párpados otro día, Jessie. Por ahora, preferimos conservarlo intacto.

Francis, ¿me haría el favor de atar bien fuerte a este vil señor con mi cinturón? No vaya a ser que nos empuje al agua durante la noche.
Con mucho gusto, amigo mío.
36

La noche cae inexorablemente sobre los náufragos, aferrados a su endeble balsa.
Intentemos seguir despiertos todo lo posible. Después, montaremos guardia por turnos para evitar que alguno ruede y se caiga al agua mientras duerme.

Me ha salvado la vida, Eleni. Estoy en deuda con usted.
¿Para qué? ¿Qué valen nuestras vidas ahora mismo?

No pierda la esperanza. Saldremos de esta, ya lo verá.
Usted es una mujer de acción, Jessie. La han entrenado para tener la moral alta pase lo que pase. Yo no soy más que una arqueóloga que solo conoce el polvo de las excavaciones y de los museos. No estoy preparada para todo lo que nos sucede. No... no puedo más. De verdad que no.

Verme por segunda vez en unos días en el papel de náufrago no me divierte gran cosa, Francis. Y lo peor es que se me ha mojado el tabaco y mi mechero parece haber dejado de funcionar definitivamente.
Vamos en el mismo barco, old chap. Dicho esto, me temo que va a tener que revisar su teoría.
TCHK TCHK

Parece que von Stahl ya no necesita nuestros servicios. Sin duda, porque recuperar a Eleni le bastaba para encontrar la tumba de Judas. ¿No es así, "coronel"?
¡Váyase al diablo!
Se repite usted ,amigo. Bah, si salimos de esta, los agentes del MI6 sabrán hacerle hablar.
Si quieren, conozco algunos antiguos métodos indios que vuelven a la gente extremadamente habladora.

Hum... No es mala idea. ¿Qué le parece, "coronel"?

Ya veremos. Mientras tanto, recemos para que el mar y el cielo sean clementes. No nos veo haciendo frente a una tormenta en este trozo de madera.

Afortunadamente, la plegaria de Blake es atendida y la noche pasa, interminable, sobre un mar tranquilo.

Pero al alba...
¡Hello, profesor Mortimer!
?
37

Incapaz de creer lo que ven sus ojos, Mortimer reconoce, estupefacto, a bordo de un pequeño yate de alquiler, a la pareja de turistas ingleses cuya intervención le había permitido recuperar el trozo que faltaba del manuscrito de Nicodemo (1).
¡Aguanten, amigos! ¡Vamos a salvarlos!
?
?
?!

Unos minutos después, ya a bordo, Mortimer presenta a nuestros amigos a sus salvadores.
Arnold y Mildred Robinson, how do you do?
How do you do?
How do you do?
How do you do?

Tras atar a Olrik en el fondo de la bodega...

...se recuperan de tantas emociones con un generoso almuerzo.

Compruebo, profesor, que ha logrado atrapar al criminal que perseguía. Pero no le ha salido gratis, según parece.
Así es, nuestro barco ha naufragado.
ΑΣΤΕΡΑΣ

Pero discúlpeme si no puedo decirle más, se trata de una misión secreta de mi amigo, el capitán Blake.
Desde el famoso caso que le hizo salir en primera plana de todos los periódicos, en Inglaterra todos saben quién es el famoso capitán Francis Blake.

Cuando les cuente a mis amigas que he almorzado en compañía de dos de los ciudadanos más famosos de nuestro país después de haberlos salvado de un naufragio, se pondrán verdes de envidia. ¡Ji, ji, ji!

(1) Ver la 1ª parte.

Nuestro yate está a su disposición. Le he ordenado al capitán poner rumbo a Atenas y aumentar el velamen.
Se lo agradezco mucho, sr. Robinson. Y lamento estropearles el crucero. ¿No tendrá por casualidad una radio a bordo?

Creo que sí tenemos, sí.
Con su permiso, me gustaría contactar con el MI6 en Atenas para que recojan el paquete en cuanto lleguemos.

Durante el viaje hacia la capital griega, Blake y Mortimer intentan que Olrik confiese el lugar donde se oculta el conde von Stahl con sus prisioneros. En vano. El renegado se niega enérgicamente a abrir la boca.

Cuando, después de tres días de navegación, el yate llega por fin al puerto de El Pireo...

...los agentes del MI6 que lo esperaban para detener a Olrik comprueban con estupor que este ha desaparecido misteriosamente.
!?
!!!
?

Es incomprensible. Sin cómplices a bordo, Olrik no ha podido escapar.
Una hipótesis poco plausible, pero el hecho es que ese maldito "coronel" se nos ha vuelto a escapar de las manos.

Nuestros amigos se despiden de los Robinson y les dan las gracias calurosamente...

...antes de que los lleven a la ciudad en un coche de la embajada británica.
Por motivos de seguridad, nos alojaremos en la embajada, donde esta misma noche celebraremos una reunión informativa.
ΠΟΤΟΠΩΛΕΙΟ Κ. ΤΣΟΚΑΣ
39

Tal como había anunciado Blake, a las 18.00 comienza una importante reunión en la Conference Room del segundo sótano de la embajada de Gran Bretaña, lejos de oídos indiscretos. Están presentes el commander William Steele, jefe de los servicios secretos exteriores británicos, venido especialmente de Londres, el responsable de la delegación local del MI6, el Chief of Station de la CIA en Atenas, el coronel Georgiopoulos, director del contraespionaje griego, el inspector Kamantis, de la policía judicial metropolitana, John Calloway, jefe del servicio de "Operaciones especiales" del FBI y su ayudante Jessie Wingo, el capitán Francis Blake, jefe del MI5, y el profesor Philip Mortimer.

El profesor hace una relación detallada de los últimos acontecimientos. Después, Blake toma la palabra.
Por supuesto, asumo toda la responsabilidad en el fracaso del abordaje del "Arax". Fracaso que, por desgracia, les costó la vida a dos de sus agentes, commander Steele.
E.H
I.L
M.P
Q.T
U.Z
Son los riesgos del trabajo, amigo. Nadie hubiese podido imaginar que un U-Boot iba a torpedearlos.
Así es. Eso significa que von Stahl nos esperaba. O sea, que estaba al corriente de la misión que le habíamos asignado al comando Doble Cero.

Hum. ¿Quiere decir que había un "topo" entre los agentes de su MI6?
O entre los suyos, coronel Georgiopoulos. A sus servicios se les pone al corriente oficiosamente de todas las operaciones llevadas a cabo por el MI6 o la CIA en territorio griego.
Good shot!

Hum. Eso merece una investigación. Pero volvamos a la asombrosa desaparición de su prisionero, el tal Olrik. ¿Creen que los Robinson estaban conchabados con él? Su presencia en el lugar de su naufragio resulta sorprendente, ¿no?
Cierto. Pero con todos los respetos, coronel, no creo que los Robinson sean más de lo que aparentan: una pareja de inofensivos turistas ricos que se han regalado una segunda luna de miel en su hermoso país. Su presencia fue pura coincidencia... y todo un golpe de suerte para nosotros.

Hum. Aun así, he sustituido a uno de sus tripulantes por un agente seguro, por si acaso. En cuanto al famoso submarino, los detectores de nuestra armada no han encontrado ni rastro.
La única posibilidad de detener a von Stahl sería durante el intercambio que presupone el profesor Mortimer: los denarios de Judas a cambio de Jim Radcliff y el profesor Markopoulos. Según sus investigaciones, ¿dónde se encuentra esa hipotética tumba, capitán Blake?
Lo siento, no puedo decírselo.
40

Nuestra única baza es que von Stahl y Olrik no conocen el lugar donde esperamos encontrar la tumba de Judas Iscariote. Y como parecen tener uno o varios informadores de alto nivel entre nuestras filas, será mejor que sigan sin saberlo. El profesor Mortimer y yo iremos solos.
NO. 36

Mientras, nos vendría bien un poco de ayuda. Le agradecería, coronel Georgiopoulos, que nos prestase a uno de sus hombres que hable inglés y que sea un veterano espeleólogo. Claro está, no le revelaré el objetivo de nuestra expedición hasta que hayamos salido de Atenas.
Hum. Comprendo. ¿Se trata de una gruta? Lo sospechaba.

¿La srta. Philippides no los acompañará?

No. Aparte de no ser espeleóloga, Eleni está conmocionada por todo lo que ha sufrido. Necesita descansar y ha decidido quedarse en Atenas. Bajo su protección, inspector Kamantis.

Yo puedo acompañarlos. Tengo el entrenamiento necesario.
Lo siento, Jessie, pero tenemos orden de volver esta misma noche a Washington. Para los americanos, este asunto atañe a partir de ahora a la CIA en colaboración con las autoridades griegas.
TELETYPE ROOM
EASTERN MEDITERRANEAN

Terminada la reunión, los participantes se despiden.

William, ¿podríamos reunirnos en privado con el jefe de delegación?
Claro, Francis. Sospechaba que me lo pediría.

Buena suerte, profesor. Lamento no poder llegar con usted hasta el final de la aventura.
Yo también, Jessie. Pero espero que nos volvamos a ver. Recuerde que le debo una cena.

Por la noche, en la habitación puesta a su disposición por la embajada...
Va a ser un juego peligroso, Philip. No tengo derecho a obligarle a correr ese riesgo.
Vamos, viejo amigo, usted ya me conoce. No le cedería a nadie la emoción de descubrir la sepultura de Judas. Si es que existe.
41

Varios días después, tres excursionistas acompañados por un burro muy cargado avanzan por un estrecho sendero de una región desolada de la costa griega occidental.

¡Uf, mis riñones! Hay que reconocer, old chap, que no rejuvenecemos.
Mis articulaciones se lo confirman.

¿Queda mucho, Constantin?
Varios kilómetros. Si no nos entretenemos mucho, llegaremos antes de la noche.

Esto no está muy frecuentado. Desde esta mañana no hemos visto a nadie.
Esta región está prácticamente deshabitada, ya que no es buena ni para los cultivos ni para la cría. Además, está situada sobre una falla sísmica y son frecuentes los temblores de tierra.

Esto es todo lo que queda del Aqueronte, el río que llevaba al inframundo. Casi hemos llegado.

¡La caverna de Aquerusia, gentlemen! ¡LA PUERTA AL INFRAMUNDO!
42

Al día siguiente al alba, tras una noche de descanso al raso, nuestros amigos se disponen a entrar por fin en la famosa caverna.
Debemos tener cuidado. Algunas rocas se han vuelto inestables por culpa de los temblores sísmicos.

¿Ya había venido aquí?
Dos veces, con mi club de espeleología, pero no fuimos más allá de la parte explorada.

Un poco más allá hay una caída en picado de unos diez metros. Instalaré una polea para bajar parte del material.

La operación se realiza en menos de una hora.
Con cuidado... con cuidado... Perfecto.

Solo llevaremos lo esencial. Si deciden prolongar nuestra expedición, volveré a buscar lo necesario para instalar un campamento en las grutas.
All right, ¡vamos!

¿Hay obstáculos difíciles de salvar?
Al principio, no. Hasta el río, el trayecto es bastante fácil.

Aquí está lo que los antiguos llamaban el Estigia, el río subterráneo que separa el mundo de los vivos del de los muertos.

Espero que no sean supersticiosos, gentlemen.
43

Una media hora más tarde, tras haber inflado los botes, nuestros amigos se adentran en el río mítico guiados por Constantin.

Se supone que por este río llevaba Caronte, el barquero del inframundo, a los muertos hacia el lugar donde serían juzgados.
Exacto. Por eso los antiguos griegos ponían una moneda de plata en la boca de sus muertos, para que pudiesen pagarle a Caronte. Si no, eran condenados a errar por el limbo eternamente.

¿No era el agua del Estigia la que decían que te hacía invulnerable?
Cierto. Tetis, la madre de Aquiles, sumergió en ella a su recién nacido sujetándolo por el talón.

Pero eso no bastó para hacerlo inmortal, pues en el sitio de Troya, el orgulloso Aquiles murió de una flecha clavada en su talón que había lanzado Paris, hijo del rey Príamo, que había secuestrado a la bella Helena y provocado así una guerra que duró diez años.

La mitología griega es una fuente inagotable de historias extraordinarias.
Como todas las mitologías, amigo mío. En el Antiguo Testamento tampoco faltan las epopeyas llenas de giros imprevistos.

Estamos llegando, gentlemen. Prepárense para presenciar un espectáculo fabuloso...

44

¡Es increíble!
¡Qué maravilla!
Según se cree, aquí era donde Hades, el dios del inframundo, y su esposa Perséfone juzgaban las almas de los muertos.

Según los méritos o los errores de su vida terrenal, a los difuntos les esperaban las delicias de los Campos Elíseos o los tormentos del inframundo.

El Paraíso o el Infierno. Los cristianos no inventaron nada.
Claro que no. No hicieron más que trasladar una de las creencias más antiguas de la humanidad: la vida después de la muerte.

Pero retomemos nuestro objetivo: la cabellera de Eurídice. ¿Dónde desemboca esta sala, Constantin?
En varias galerías, unas exploradas y otras no.

Tenemos para rato. Lo mejor será que Constantin vuelva a buscar el resto del material para establecer aquí nuestro campamento.
No estoy de acuerdo, Francis.

El valiente Yadin, cargado con el cadáver de Judas, no disponía de nuestro equipo moderno. ¿Por qué iba a alejarse más? Además, simbólicamente, esta sala del juicio final resultaba perfecta como última morada del mayor traidor de la cristiandad.

Si la tumba existe y si la caverna de Aquerusia es la puerta de Orfeo, Eurídice está aquí, estoy seguro.
Well, en ese caso, busquemos...

Durante varias horas, el trío escruta sistemáticamente las estalagmitas y otras formaciones minerales esculpidas desde hace millones de años por el agua que las paredes de la enorme sala subterránea rezuman.

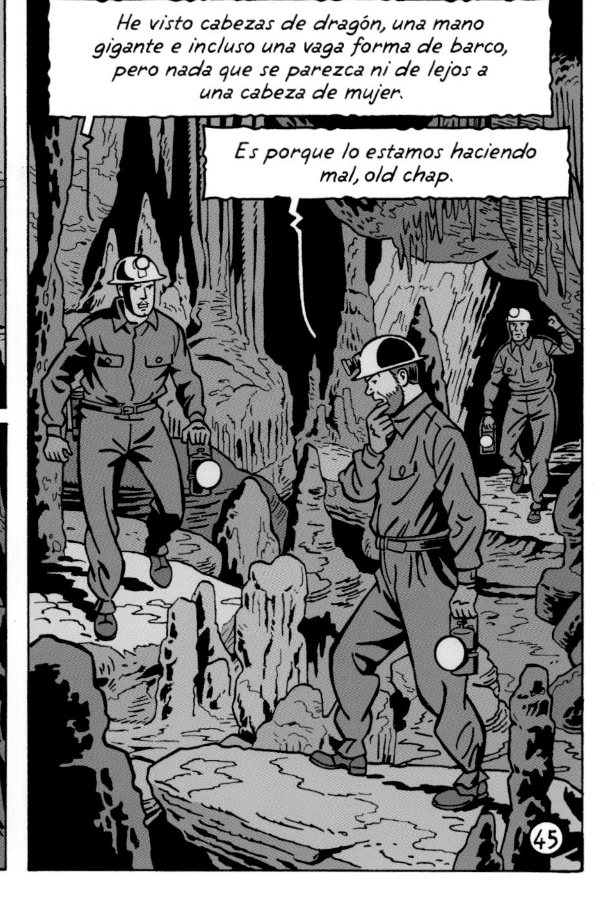
He visto cabezas de dragón, una mano gigante e incluso una vaga forma de barco, pero nada que se parezca ni de lejos a una cabeza de mujer.
Es porque lo estamos haciendo mal, old chap.
45

Para iluminarse, Yadin no tenía lámparas eléctricas, sino una simple antorcha. En las grutas, las formas cambian según el tipo de luz que las ilumine. Confeccionemos unas antorchas y recomencemos.
Nuestros amigos fabrican unas teas rudimentarias con ayuda de los remos envueltos en tela y retoman la búsqueda tras apagar los focos.

De pronto...
¡Philip! ¡Constantin! ¡Vengan!

¡Y ahí, bajo la cabellera, esa enorme losa de piedra!
Deprisa, vamos a por las lámparas y los piolets...

Esa piedra me parece muy pesada.
Y debe de estar unida al suelo por la caliza. Pero si Yadin, por coloso que pudiera ser, pudo levantarla solo, entre los tres deberíamos poder hacerlo.

Oh, Francis, no me lo puedo creer. Mire, me tiemblan las manos.
46

Temblando de excitación, el profesor comienza a desprender el contorno con ayuda de su piolet.

¡Vamos! Intentemos levantar la piedra.
No se ponga así, amigo mío. ¿De verdad cree que vamos a encontrar los restos de Judas ahí debajo?

¡Todo encaja, Francis! La moneda de plata, el manuscrito de Nicodemo, el fresco que hablaba de la puerta de Orfeo, la cabellera de Eurídice... ¡Todo encaja!

Arqueándose, los tres hombres agarran uno de los laterales de la pesada losa de piedra...

...y, con un tremendo esfuerzo, logran volcarla.
BAM

?
?!
?

¡Después de diecinueve siglos! ¡Es... es imposible!
O desde el principio hemos sido víctimas de una increíble maquinación, de una enorme y siniestra farsa...

Sabría a qué atenerme...

¡Miren! ¡Las monedas de plata con la efigie del emperador Tiberio! ¡Los treinta denarios de Judas!
¡Los veintinueve denarios, meine Herren! ¡El nº 30 está aquí!
47

¡Von Stahl! ¡Olrik!
Al final, el profesor Markopoulos nos dio la combinación de su caja fuerte. Eso me permitió hacerme con este relicario y con el denario que contiene desde hace diecinueve siglos.

Llevamos varios días aquí, pero no habíamos localizado la tumba. Cuando mi amigo, el coronel Georgiopoulos, me avisó de su salida de Atenas, me pareció más sencillo esperarlos. Ha sido muy astuto, profesor. Le felicito.

¡El "topo" era Georgiopoulos! ¡Pero no conocía el lugar al que queríamos ir. ¿Quién...?
Eleni, claro.

Sospeché de ella por primera vez tras su llamada de teléfono de Syrenios a un supuesto amigo. Mis sospechas las confirmó la "misteriosa" fuga de Olrik del yate de sus amigos ingleses antes de nuestra llegada a El Pireo.

Era la única a bordo que tenía un motivo para liberar a Olrik, pues debía proteger las vidas de su tío y de su prometido. ¿Me equivoco, Eleni?

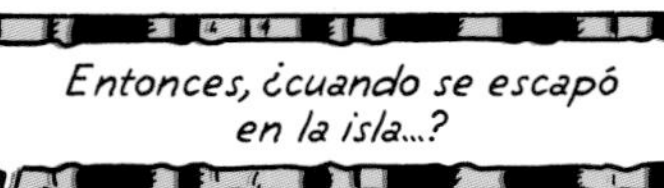
Entonces, ¿cuando se escapó en la isla...?

Un señuelo, claro. La capturaron y von Stahl le hizo chantaje: la vida de los rehenes a cambio de la situación de la tumba. Y cuando tuvo la información, le encargó a Olrik que se deshiciese de nosotros. Pero las cosas no salieron como esperaba.

Y seguirán saliéndole mal, conde Rainer von Stahl. Tras nuestra reunión de la otra noche en Atenas, elaboré un plan secreto con mi colega, el comandante Steele. Veinte hombres del MI6 lo esperan a la salida de la gruta. En cuanto al submarino que los ha traído hasta aquí, ahora mismo lo persigue un destructor de la armada griega.

Qué divertido. Creo que soy tan buen jugador de póquer como usted, capitán Blake. Y sé cuándo mi adversario intenta marcarse un farol, y este es el caso. Pero ya he perdido demasiado tiempo. Profesor Mortimer, le ruego que me entregue esa bolsa.

48

¡Jamás!
Como quiera. Jack, por favor, métele una bala en la cabeza a la srta. Philippides.
¡¿Cómo?!

Pero usted me prometió...

!
!
PAN

PAN PAN
¡AAAH!
¡No!

Tss, tsss... Una tentativa tan heroica como absurda. Gracias, Jack. ¿Profesor?
Constantin...

Echando chispas, Mortimer obedece.
Sonría. Creía que una de las escasas cualidades de los ingleses era saber perder.

¡Suelta a la muchacha, Olrik!
Como quiera. De todos modos, la suerte de ustedes tres está echada, Mortimer. Y esta vez me aseguraré bien.

¡Los treinta denarios de Judas, por fin en mi poder! ¡Qué momento tan increíble! ¡Ja, ja, ja!

?!
¡Que la maldición divina caiga sobre ti, oh, ser impío!
49

¡Entre tus manos sacrílegas se encuentra la sangre de los pecados del mundo, y esa sangre arderá para castigarte por tus crímenes y los de tus semejantes!

?

Dios todopoderoso... ¿Es un sueño?

¡AAAAAAHH!

Gracias, Señor, por haberme perdonado por fin y permitirme reunirme contigo. Gracias, gracias...

KRRAK
¡AAAAAAHHHHH!

?
BRRRROOOMMMMMMM
!!

BRRRRROO
50

BRR
¡Un temblor de tierra! ¡Al río, rápido!

¡Un momento, amigos!

Se les olvida que tenemos una vieja cuenta pendiente.
¡Déjenos pasar, canalla! Su vida corre tanto peligro como las nuestras.

Lo siento, la ocasión es demasiado bonita. Les echaré de menos. Adiós, queridos adversa...

TRRATTRRR
¡AAAAHH!

BRRRRROMM
Es... ¡Es horrible!
Ya se apiadará después. ¡Corra!

¡Maldición!
Da igual. ¡Vamos a entrar en el agua!

51

El... el agua está he-helada...
Agárrese a nosotros, Eleni. Saldremos de esta.
El temblor de tierra parece haber terminado.

¡Qué horror!
Contengan la respiración. Vamos a...

Pero ¿adónde lleva el río? La corriente es cada vez más fuerte.
Ni idea. Nuestra única esperanza es que vuelva a salir a cielo abierto.

?!
!
52

Basándose en la información facilitada por Jack y los otros dos supervivientes detenidos por los hombres del MI6, un comando de fuerzas especiales griegas tomó por asalto la fortaleza del Nuevo Orden.

Y tras un breve combate...

...liberaron al profesor Markopoulos y a Jim Radcliff, los cuales, afortunadamente, seguían vivos.

En la sede del Intelligence Service, en Londres, el capitán Blake finaliza su informe ante su superior, el coronel Dorian Cartwright.
Y el U-Boot que había llevado a von Stahl y a su panda a las costas de El Epiro se refugió en aguas territoriales albanesas, fuera de nuestro alcance.

¿Y Olrik?
Desapareció al hundirse la gruta. Pero no me hago ilusiones: mala hierba nunca muere. Estoy seguro de que nos lo volveremos a encontrar.

El coronel Georgiopoulos se suicidó cuando fueron a detenerlo. Sus últimas palabras fueron: "Hagáis lo que hagáis, nos llegará la hora" (1).
53

(1) Esta siniestra predicción se haría realidad doce años más tarde, en 1967 cuando una junta de oficiales instauró el "régimen de los coroneles", una dictadura que hizo correr la sangre en Grecia hasta 1974.

¿Eleni Philippides no ha sido inculpada?
No. En este asunto, ha sido más víctima que culpable. Su único error fue no confiar lo suficiente en nosotros.

Su prometido, Jim Radcliff, dimitió del "Philadelphia Chronicle" para quedarse en Atenas como periodista independiente. El profesor Mortimer y yo estamos invitados a su boda el mes que viene.

Le felicito, capitán. Creo que se ha ganado a pulso sus quince días de permiso.
Thank you, sir.

Esa noche, en uno de los salones alfombrados del famoso Centaur Club...
Hello, Francis! ¿Qué ha decidido el jefe?
No habrá expediente. Oficialmente, nuestra aventura no ha sucedido. ¿Sabe qué ha hecho Markopoulos con los manuscritos de Nicodemo?

Se los ha entregado al arzobispo de Atenas, que los archivará con los miles de documentos secretos sospechosos de contradecir las Escrituras oficiales. El mundo nunca conocerá la verdadera historia de Judas Iscariote.

¿Está decepcionado?
En absoluto. Cualquier arqueólogo del mundo daría media vida por sentir la emoción que sentí yo al tener esa bolsa entre las manos. Venga, vamos a cenar.
Hello, James! ¿Qué hay de cenar?
Brochetas griegas, gentlemen. El chef ha pensado que así nuestros miembros se saldrían un poco del rosbif empanado y el pastel de riñones.

FIN

FIN

TI CAESAR
DIVI
PON
MAXIMVS